HÁGALO en su CASA

carpintería

MESAS Y SILLAS

1

imaginador

German S. Heiss
   Carpintería: mesas y sillas - 1a. ed. - Buenos Aires:
Grupo Imaginador de Ediciones, 2006.
80 p.; 25x17 cm. (Hágalo en su casa)

   ISBN: 950-768-538-3

   1. Carpintería. I. Título
CDD 694

Primera edición: enero de 2006
Última reimpresión: noviembre de 2006

I.S.B.N.-10.: 950-768-538-3
I.S.B.N.-13.: 978-950-768-538-5

Se ha hecho el depósito que establece la ley 11.723
© GIDESA., 2006
Bartolomé Mitre 3749 - Ciudad Autónoma de Buenos Aires
República Argentina
Impreso en Argentina - Printed in Argentina

Se terminó de imprimir en Mundo Gráfico S.R.L., Zeballos 885, Avellaneda,
en noviembre de 2006 con una tirada de 2.000 ejemplares.

MESAS
Y SILLAS

LA MADERA
ASPECTOS GENERALES

¿Qué es la madera?

La madera es un conjunto de células que forman una masa de celulosa, lignina, resina, almidón y azúcares que se desarrolla en los árboles.

Se trata de un material orgánico, fibroso y heterogéneo.

Las diferencias de colores de la madera dependen de cada especie. Las hay desde el blanco, pasando por el rojo, el verde, el marrón hasta llegar al negro.

La importancia de la madera

La madera es uno de los materiales más valorados y utilizados por el hombre, a lo largo de los siglos. Su vital importancia en la construcción de casas o en los muebles del hogar son sólo dos de las contribuciones posibles.

Existen dos grandes grupos en los que se puede clasificar las maderas según sus características:

• **Las maderas blandas:** son las que provienen de las coníferas (pino, cedro, alerce, abeto, ciprés, tuya, enebro). Dado que el crecimiento de estos árboles es muy rápido, son las maderas de más bajo precio. Por lo general, el color de este tipo de madera es claro amarillento, con nudos y vetas bien marcadas.

Se las utiliza para fabricar todo tipo de muebles.

• **Las maderas duras:** proceden de árboles de hojas caducas y, a diferencia de las maderas blandas, existe una mayor variedad de texturas y de colores.

Son más caras que las del grupo anterior ya que su crecimiento es más lento, su textura es muy atractiva y, en muchas ocasiones, no es necesario barnizarlas o pintarlas con color. Los árboles de los que se extrae este tipo de madera son: roble, teca, tilo y caoba.

Maderas falsas

El aglomerado y el enchapado son considerados maderas falsas o artificiales ya que imitan la textura y la consistencia de otras maderas nobles, como el pino y el roble.

Los tipos de madera

El aglomerado

La madera aglomerada está compuesta por viruta de desecho de otras maderas, aglomeradas y prensadas. Estas virutas se mezclan con diferentes productos adhesivos que las mantienen unidas y compactas.

 VENTAJAS Y DESVENTAJAS DEL AGLOMERADO

Bajo costo.

Posibilidad de trabajar con placas de grandes dimensiones.

Peso excesivo.

Dificultad para reparar o construir muebles livianos.

Absorción de mayor cantidad de agua. Tiende a hincharse, deformarse y hasta puede quebrarse con mayor facilidad.

Necesidad de colocar enduido para que la superficie rugosa sea impermeable.

Pintar con esmaltes sintéticos, sintéticos satinados o barnices de color.

Ideal para realizar trabajos que no necesiten de pequeños detalles.

El enchapado

Se trata de un bloque conformado por sucesivas capas de madera de desecho, enchapadas o cubiertas por una fina placa de madera (roble, pino, abeto, etc.).
Se emplea en la construcción de estanterías y en cualquier otro mueble de líneas rectas.

La madera de pino

La madera de pino se comercializa cortada en forma de placas (estantes), tablones o listones. La unidad que se utiliza es la pulgada (1 pulgada: 2,5 cm) con la que se indica el grosor de la pieza, previo a su cepillado final. Esto significa que si un listón tiene 1 pulgada ya no mide 2,5 cm sino 2,2 cm. Estos detalles siempre deben tenerse en cuenta para evitar problemas con las medidas a la hora de comprar las piezas.
Dado que la madera del pino es una de las más populares, se puede encontrar en forma de varillas (con las medidas indicadas en milímetros) y en piezas torneadas (esferas, medias esferas, rudas, etc.).

El tratamiento de las superficies

El lijado

Debe trabajarse en el sentido de las vetas de la madera. En las superficies planas puede recurrirse a un taco lijador o envolver un listón de madera con la lija para que quede más parejo.

 Para verificar que la superficie ha sido bien lijada basta con pasar la mano por ella para constatar que ha quedado bien lisa.

El enduido

Lo utilizaremos para disimular los hundimientos de la madera o para cubrir la cabeza de los clavos que emplearemos para fijar una pieza con otra.
Se aplica en capas sucesivas, dejando secar entre mano y mano.

La terminación

La madera también puede quedar virgen aunque, al tratarse de un material poroso, se ensucia con mucha facilidad. Por lo tanto, se recomienda el uso de pinturas traslúcidas (anilinas, pinturas al agua diluidas con gel transparentador, ceras, etc.).

Los acabados de la madera

Un comienzo ineludible

Antes de barnizar, pintar o de aplicar laca es conveniente preparar la superficie de la madera. Para ello, puede lijarse la superficie a mano o a máquina. Es conveniente utilizar un papel de lija de grano medio para continuar con uno fino. Después de realizar el lijado hay que quitar el polvillo con un cepillo o una brocha, para volver a barnizar.

Las lacas y los barnices

El barniz al agua se debe aplicar para proteger las piezas que se han pintado con pinturas al agua. Aunque transcurra el tiempo, no vira al amarillo. Sirven para proteger a los muebles del paso del tiempo y de la acción de los agentes externos. Asimismo, le otorgan un acabado prolijo. Los más comunes son:

• **Aceite de lino:** es un tipo de barniz antiguo, muy fino, que protege a las superficies. Para obtener un resultado óptimo hay que aplicar varias manos del producto (dejando que se seque entre mano y mano).

• **Barniz con resina de poliuretano:** su principal componente es el aceite. Ofrece un acabado brillante y es muy resistente a los objetos calientes y a la humedad.

• **Lacas poliuretánicas:** son transparentes y resistentes. Tienen un excelente acabado.

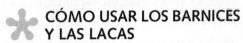

CÓMO USAR LOS BARNICES Y LAS LACAS

La laca se seca muy rápido. Por ello se debe ser muy preciso en su aplicación.

Deben aplicarse más de dos capas de barniz y de laca, lo más delgadas posibles. (Hay que dejar secar entre mano y mano).

Si se va a trabajar con barniz brillante, en la última mano, debe eliminarse el exceso de brillo con una lija al agua número 600.

Las ceras y los aceites

Se debe recurrir a ellos cuando se quiere que los muebles de madera luzcan con su acabado natural y con su brillo satinado.

VENTAJAS Y DESVENTAJAS DE LA CERA Y EL ACEITE

Protegen y recubren a la madera pero sin tapar los poros.

La madera "respira" sin dificultad, lo que posibilita que no se arquee o se quiebre.

Son de origen natural y no contaminan el ambiente.

No protegen al mueble de la suciedad, de las rayas y de las manchas.

CÓMO ENCERAR MUEBLES

1. Lavar[1] y lijar toda la superficie del mueble.

2. Distribuir sobre la madera varias manos de cera o de aceite hasta obtener una capa uniforme.

3. Con la ayuda de un pincel, pasar el aceite por la superficie del mismo, como si se estuviera pintando.

4. Antes que la superficie esté seca, frotar con estopa para que el aceite penetre en los poros de la madera de manera uniforme.

5. Pincelar nuevamente, dejar secar y volver a frotar con estopa realizando movimientos circulares.

6. Dejar descansar el mueble durante 10 horas para que el aceite y la cera se consoliden y actúen como impermeabilizantes.

La cera en pasta

La cera en pasta es de consistencia más espesa que la líquida. Para utilizarla en un mueble, es conveniente extenderla sobre la madera con un trapo limpio y seco o bien con un paño de algodón. Es conveniente darle varias manos y, entre cada una de ellas, lustrar la superficie con un cepillo de cerdas finas o con estopa. Tanto la cera en pasta como la líquida se presentan pigmentadas o en diferentes colores (roble, roble oscuro, pino, etc.). Además, si se pretende darle al mueble un aspecto envejecido es conveniente recurrir a la cera blanca.

● El aceite que se utiliza para la madera no sólo la protege sino que ofrece un acabado brillante y puede utilizarse como un complemento de la cera. Para ello, hay que pincelar con aceite la madera para que absorba de manera pareja y, a continuación, cubrir con dos capas de cera líquida o en pasta.

Las pinturas al agua

La más populares son las pinturas al látex y los acrílicos. Son pinturas muy resistentes y se pueden mezclar con cualquier otra sustancia al agua. Una vez que se ha pintado la superficie debe aplicarse una o dos manos de barniz al agua para proteger la pieza.

Las pinturas al solvente

Se incluyen los esmaltes y las lacas. Debe tenerse mucho cuidado de no manchar otras superficies y de limpiar muy bien los utensilios que se usen.
Una de las ventajas radica en que no se necesita aplicar ninguna capa de barniz para protegerlas.

Las tintas y las anilinas

La madera puede colorearse utilizando anilinas y tintas ya que penetran en la madera coloreándola en forma traslúcida. Se las emplea cuando se quiere destacar las vetas naturales de la madera.

---

[1] Una de las técnicas recomendadas para limpiar un mueble consiste en aplicar la siguiente preparación: mezclar 8 partes de aguarrás con 2 partes de glicerina líquida. Aplicar esta solución con un paño limpio.

Las herramientas manuales

El siguiente listado de herramientas permitirá trabajar de manera eficaz y garantizará la máxima calidad y precisión en las tareas que se lleven a cabo con la madera.

Los formones

Están compuestos por una cuchilla y un mango. Sirven para realizar ranuras, esquinas y entalladuras. Además se pueden realizar agujeros para colocar cerraduras o pasadores.

Existen diferentes tipos de cuchillas: las estándares y las huecas. Las primeras poseen un biselado en los laterales lo que facilita la realización de esquinas agudas. Por su parte, las huecas se usan para realizar acanalados y ranuras. Las hay en forma de cuchara que sirven para trabajar los objetos por detrás. Son muy filosas.

Los martillos y las mazas

Están diseñados para insertar todo tipo de clavos en cualquier superficie. Existen diferentes tipos de martillos, los que se elegirán en función de los trabajos que se vayan a realizar.

• **De cuña:** se emplean para clavar clavos en superficies que no sean rígidas.

• **De carpintero o de orejas:** tiene un lado para golpear y otro con orejas curvas para sacar los clavos torcidos.

• **Las mazas de acero, de madera y de goma:** sirven para golpear superficies muy grandes. Pueden ser de acero, de goma o de madera. A esta última también se la conoce como maza de carpintero y se la emplea para golpear las piezas que se han de ensamblar.

Las sierras y los serruchos

La sierra es una hoja de acero que está provista de una serie de dientes triangulares, las que forman un zigzag de forma alternada. Además en la parte contraria de los dientes cuenta con una costilla, que sirve para darle mayor consistencia a la hoja y mayor precisión al corte, sujetando la hoja que por sí sola tiende a doblarse y desviarse.

Las hojas de las sierras y los serruchos son de acero y, si no se las cuidan de manera adecuada, pueden oxidarse.

Las sierras de diente liso y triangulares se usan para aserrar maderas finas o superficies pequeñas. Existen diferentes tipos de sierras entre las que podemos destacar:

• **Sierra de calar:** posee una hoja fina tensada, la que se coloca en un marco, sujeta a éste por unos tornillos. Se emplea para cortar curvas en piezas pequeñas de madera o para hacer cortes internos y eliminar material. La hoja de la sierra será más angosta y con dientes más pequeños para realizar curvas más cerradas o pequeñas y, más abierta o en líneas rectas, si es más ancha y con dientes más grandes.

• **Sierra de calar eléctrica:** se puede emplear para cortar formas complicadas y curvas. La sierra se mueve hacia arriba y hacia abajo mientras atraviesa la madera. La forma de corte siempre es hacia arriba lo que significa que el corte más suave estará en la parte inferior y, la cara que quede más prolija, será la de abajo.

• **Sierra de calar eléctrica de banco:** corta con mucha facilidad en espesores delgados y por ello es difícil de mantener la línea de corte.

 Para que los dientes del serrucho no se traben durante el corte es aconsejable, antes de utilizarlo, untarlos con vela de cera.

El serrucho es una variante de la sierra que suele tener los dientes más grandes y más separados, los que posibilitan que los cortes sean más rápidos pero también menos precisos que si se los hiciera con una sierra. Los tipos de serruchos se clasificarán en función de la longitud y el número de dientes por pulgadas. Los mismos se dividen en largos (de 65 a 70 cm), medianos (de 55 a 65 cm) y cortos (de 45 a 55 cm). La hoja que se emplee será más fina para las secciones pequeñas y para cortes de mayor precisión y más gruesa para las piezas mayores.

El serrucho posee una hilera dentada, la que trabaja entre los dos bordes de la madera virgen, los que se orientan de manera alternada de izquierda a derecha.

Para no equivocarse...

Hay que ser muy cuidadosos con el uso del serrucho ya que un error que se cometa puede ser definitivo. Para que esto no ocurra se puede hacer una marca con lápiz, a la que debe sumarse 2 mm a la medida tomada. La marca del lápiz se perderá durante el corte y la de los 2 mm de más se irá al cortar la madera.

Si se trata de personas que no trabajan de manera usual con el serrucho, lo más aconsejable es que utilicen el trazado con sierra. El mismo consiste en trazar una línea fina con lápiz que abarque la zona a cortar. Sobre ella se debe apoyar una hoja de sierra (de dientes pequeños) y realizar dos o tres pasadas, apoyando la totalidad del filo dentado de la sierra para que quede una pequeña hendidura en la madera. Esta posibilitará que, al utilizar el serrucho, se inserte en ella sin desviarse y produzca un corte recto y prolijo.

El cepillo y la garlopa

El cepillo está constituido por un soporte de base plana, por el que se introduce una cuchilla que asoma por el filo de esta base, la cual está sujeta por una cuña que impide que se desplace. La función del cepillo es la de arrancar viruta cuando se la pasa por la zona de la cuchilla.

La garlopa es una variación del cepillo y su mayor diferencia con el anterior es que es mucho más larga y pesada que éste. Es ideal para trabajar en grandes superficies en las que la viruta se arranca por la propia presión de su peso.

Las limas

Poseen una hoja de acero filosa, una espiga (que es parte de la misma hoja) por donde se la introduce al mango y un mango de madera que facilita la tarea de manipuleo.

Los diferentes tipos de lima responden a las necesidades del trabajo que se vaya a realizar. Existen limas para metales, plásticos y maderas con diferentes formas y medidas, hojas de acero y cantidad de dientes.

A continuación, enumeramos las limas básicas:

• **Lima redonda:** es utilizada para agrandar agujeros. Se la introduce en el mismo y se trabaja en forma circular. Es de forma cilíndrica.

• **Lima plana:** se usa para trabajar en superficies lisas.

• **Lima triangular:** se emplea para trabajar esquinas en punta y en superficies con ángulo recto.

• **Lima cuadrada:** se utiliza para trabajar esquinas o aberturas en forma de cuadrado.

• **Lima semicircular:** cuenta con una parte plana y otra redondeada. Es ideal para trabajar en superficies circulares.

• **Lima de cuchillo:** posee un extremo en punta y su revés puede ser redondeado y plano.

Las limas especiales para madera

Están hechas de acero al carbono con pequeñas adherencias filosas las que se adaptan a las maderas.

La textura de lijado es más fina que la de una lima o papel de lija. Se emplean para retirar capas viejas de pintura.

Para medir y marcar

Los elementos más comunes de medición son la regla graduada, la escuadra, los lápices y los marcadores. Además se puede contar con un compás de carpintero, al que se le puede acoplar en uno de sus extremos, un lápiz para marcar círculos.

- **La escuadra:** permite realizar trazos de 90° y además sirve para comprobar la exactitud de los ángulos rectos en las piezas.

- **El metro:** posibilita lograr una precisión milimétrica, tan necesaria a la hora de trabajar en madera. Uno de los modelos de metros más difundidos es aquel que cuenta con el sistema de cinta de fleje. Otro es el de carpintero de madera, que se cierra en forma de abanico.

- **La cinta enrollable:** está compuesta de una ventana y de una segunda escala (pulgadas) que le permite realizar mediciones inferiores.

- **El calibre:** se usa para mediciones de grosores y diámetros, en brocas, tablas, listones y perfiles.

Para unir y fijar

Los clavos

Son imprescindibles en el armado, la restauración y el reciclado de muebles. Deberán clavarse siempre a través de la pieza más delgada en la más gruesa.
Los hay de diferentes formas, medidas y material según las diferentes funciones en las que se vaya a utilizar.

Según los materiales, los clavos pueden clasificarse en:
a) Clavos de hierro.
b) Clavos de acero no endurecido.
c) Clavos de acero templado.
d) Clavos galvanizados.
e) Clavos de acero inoxidable.

 Al colocar una fila de clavos no se los debe disponer en una misma línea porque puede abrirse la veta o la fibra de la madera.

a) Son los clavos más comunes cuyos materiales no se encuentran endurecidos.
b) Se usan en madera o en superficies blandas ya que se doblan con suma facilidad.
c) Son los ideales para usarlos en las paredes.
d) Se emplean en las superficies interiores ya que soportan los cambios climáticos.
e) No se oxidan y son aptos para los muebles que van a ser expuestos a la humedad.

Según el formato, los clavos pueden denominarse de la siguiente manera:
a) Bellote.
b) De espiga.
c) De rosca.
d) Clavetes.
e) Tachuela.
f) Grapa.
g) Escarpia.

a) Se trata de los clavos largos de cabeza gruesa de diferentes grosores y tamaños. Pueden ser de hierro o de acero con cuerpo liso o ranurado.
b) Se emplean cuando no se desea que se vea la cabeza del clavo.

c) Posee estrías (que pueden ser longitu-
dinales, helicoidales o transversales), in-
dispensables para darle mayor fijación
al clavo con la superficie.

d) y e) Se emplean en los trabajos de tapi-
cería.

f) Tienen forma de U. Se usan para sujetar hilos o cables que cuelguen de la
madera.

g) Se trata de clavos perpendiculares que
tienen una cabeza en forma de codo.
En las ferreterías se los conoce como
"clavos en L".

Los tornillos

Los más utilizados en carpintería se
emplean en la realización de ensamblajes y
están hechos en hierro, acero y otros metales. Las cabezas de los tornillos pueden
ser: de cabeza plana avellanada, de cabeza
de lenteja, entre otros. Además pueden
distinguirse por su rosca, la que puede ser
entera o a mitad del tornillo y estar ubica-
da en uno o en los dos extremos.

> La longitud de los tornillos siem-
> pre debe ser tres veces el espesor
> de la madera que se va a fijar.

La barrena y el tornillo: dos compañeros

Se trata de una herramienta que posee
una punta helicoidal que sirve para hacer
agujeros roscados, en los que se coloca-
rá el tornillo.

A continuación, les ofrecemos los pasos
para colocar un tornillo:

1. Perforar la madera para insertar el
tornillo con el taladro o, si la madera
es blanda, con un punzón.

2. Hacer un agujero más grande que el
diámetro del tornillo y de la longitud
de la parte lisa.

3. Perforar con otra broca del diámetro
del tornillo.

4. Envolver la broca con una cinta de
papel indicando la longitud del tornillo para asegurar que la profundidad
del taladro sea la indicada.

5. Una vez que la marca llegó a la superficie de la madera debe tenerse la
perforación.

El tercer agujero

Si se desea obtener un mejor acabado, se
puede realizar un tercer agujero para dejar al ras la cabeza del tornillo. A este
proceso se lo llama fresado, para el cual
se utiliza una boca avellanada.

Los destornilladores

Su función principal es la de introducir y
extraer tornillos. Son de uso muy común
ya que son muy versátiles para realizar todo tipo de arreglos en carpintería. Es fundamental elegir el destornillador cuya
punta se adapte con precisión a la forma
de la cabeza de su tornillo y a su tamaño
para evitar daños en las piezas que inter-
vienen en el trabajo.

Los destornilladores más usuales son los
siguientes:

• **Destornillador estrella:** se usa para aflojar o apretar todos los tornillos que tienen
la cabeza en forma de cruz.

- **Destornillador plano:** se utiliza para aflojar o apretar los tornillos con la tradicional cabeza de ranura.

Los tarugos

Se trata de pequeños cortes de 2 ó 3 cm de varillas de madera. Se los consigue en las carpinterías ya cortados y también se pueden preparar de manera manual.

La cola vinílica

También se la denomina cola de carpintero. Se trata de un adhesivo espeso al agua el que, al secarse, se vuelve transparente. Sirve para fijar todas la uniones que estén hechas con clavos, tornillos o tarugos.
La cola vinílica se aplica para que se forme una capa sobre la madera, sin que gotee. Luego se aprieta y se sujeta durante una hora, asegurándose que estén bien unidas. Aunque la cola es resistente al agua sólo debe emplearse en trabajos de interior o, en caso contrario, prever su protección con pintura.

Para perforar

El punzón y la barrena

Ambas sirven para realizar las marcas que servirán para hacer los agujeros.
El punzón se utiliza para marcar su posición y evitar que no se desvíe mientras que la barrena sirve para iniciar el principio de la rosca de un tornillo facilitando su introducción en la madera.

El taladro

Los más utilizados son los manuales y los eléctricos. El primero es muy útil para realizar perforaciones usando brocas muy finas. El eléctrico está diseñado para agujerear de forma fácil, precisa y rápida. Ejerce una fuerza uniforme.
También existe un taladro eléctrico para trabajar fijo sobre una mesa el que se denomina taladro eléctrico de banco.

Para cortar

Las lijas y las lijadoras

El proceso de lijado permite que una superficie de madera quede limpia de suciedad y de restos de madera para poder realizar cualquier tratamiento (barnizado, encerado, etc.).

 EXISTEN DOS TÉCNICAS FUNDAMENTALES PARA LIJAR: A) LA LIJA MANUAL Y B) LA LIJA ELÉCTRICA.

a) La lija manual: se debe consultar con un especialista sobre el tipo de lija que se va a utilizar según el trabajo que se vaya a desarrollar. Al pasar la lija sobre la madera es fundamental respetar el sentido de sus vetas, ya que si esto no se hace la misma se puede rayar.

- Si se necesita lijar piezas pequeñas (manijas de madera, molduras decorativas, etc.) es conveniente trabajar en sentido inverso a las vetas de la madera. Para ello, se fijará la hoja de la lija a la mesa de trabajo con una mano y, con la otra, se tomará la pieza sobre la que se pasará la lija, ejerciendo presión en forma pareja.

- En el caso de lijar molduras es necesario contar con un taco de madera cilíndrico, forrado con la lija que vamos a emplear. De esta forma, el taco se va a "amoldar" a la superficie que se quiera pulir. Lo mismo se hará si se trata de una superficie cilíndrica.

• Los bordes de un mueble deben ser lijados con mucha suavidad y en el sentido de las vetas.

• Cada vez que se termina de lijar, con un cepillo de cerdas suaves, hay que levantar el polvillo del lijado de la superficie.

b) **La lijadora eléctrica:** en la actualidad, existe gran variedad de modelos y sus precios son accesibles. Cuentan con una pequeña bolsa que aspira el polvo y el aserrín.

La numeración que aparece en el revés de la hoja de la lija indica la cantidad de granos por unidad de medida. Por lo tanto, a valores más bajos es menor la cantidad de granos. Los que tienen numeración más baja tienen menos granos pero más grandes y, por lo tanto, mayor poder abrasivo.

Los elementos de sujeción

Para lograr precisión en un trabajo de corte o perforación es fundamental que la pieza no se mueva. Para ello existe una serie de aparatos de sujeción que funcionan como tercer brazo. Se los llama gatos, prensas, sargentos, morsas o tornos de sujeción.

El gato de carpintero o sargento

Se utiliza para fijar las piezas a una madera común en el caso de que los principiantes no cuenten con un banco de trabajo, que viene equipado con un torno de sujeción. Aunque venga provisto de un taco de goma se debe proteger la pieza con un taquito de madera.

El banco de trabajo

Si se va a comprar un banco de trabajo se debe elegir aquel que tenga un torno de carpintero con mordaza de madera.

Las superficies de madera que se vayan a unir, más allá del elemento que elijamos, deben estar limpias de polvo y encajar de manera correcta.

MESAS Y SILLAS

TRABAJOS en MADERA

MESA de ARRIME con ESTANTE

4 tirantes
de 88 cm de largo
x 4,5 cm de ancho
x 4,5 cm de espesor
para las patas.

2 fajas
de 97 cm de largo
x 9,5 cm de ancho
x 2,2 cm de espesor.

1 placa
de 1 m de largo
x 40 cm de ancho
x 2,2 cm de espesor
para la tapa.

1 placa
de 97 cm de largo
x 37 cm de ancho
x 2,2 cm de espesor
para el estante.

2 fajas
de 32,5 cm de largo
x 4,5 cm de ancho
x 2,2 cm de espesor.

Tornillos
de 4,5 x 63 mm.

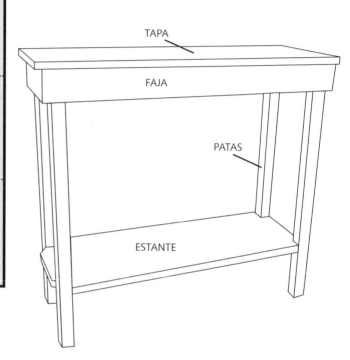

TAPA

FAJA

PATAS

ESTANTE

Procedimiento

1 Lijar cada una de las piezas. Colocar las patas a las dos fajas más cortas, con la ayuda de una agujereadora y con tornillos autoperforantes.

2 Parar las dos fajas recién trabajadadas, tal como lo muestra la siguiente fotografía, y colocar las dos fajas más largas. Para ello, marcar 15 cm y, con la agujereadora, colocar los tornillos autoperforantes.

3 Colocar la tapa con tornillos autoperforantes en forma de chanfle.

4 De cada uno de los costados del estante, marcar 6 cm con la cinta métrica y la escuadra. Unir las líneas para formar un cuadrado. Repetir la operación en los tres lados restantes del estante.

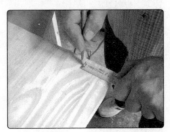

Los 45° se incluyen en el mango de la escuadra.

5 Cortar los cuadrados realizados con la caladora. Insertar el estante entre las cuatro patas de la mesa y corregir la profundidad del corte si fuera necesario. A continuación, colocar el estante sobre la mesa de trabajo. Marcar con la escuadra 45° y cortar las dos puntas rectas de cada lado para que queden en chanfle.

6 En la siguiente fotografía se aprecia un detalle del corte, así como los cortes en chanfle terminados en cada uno de los extremos del estante.

7 Colocar el anclaje del estante con los tornillos.

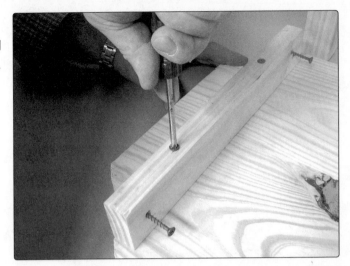

8 Realizar las perforaciones con la agujereadora (paralelas al estante). En ellas, colocar los tornillos en los que se ajustará el estante a las patas.

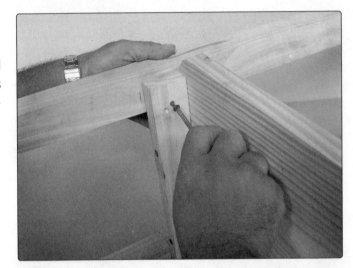

El estante se puede colocar a la altura que usted desee.

MESA CUADRADA de NIÑO

4 tirantes
de 53 cm de largo
x 4 cm de ancho
x 4,5 cm de espesor
para las patas.

2 fajas
de 42,5 cm de largo
x 7 cm de ancho
x 2,2 cm de espesor.

2 fajas
de 47 cm de largo
x 7 cm de ancho
x 2,2 cm de espesor.

1 placa de 50 cm
de largo x 50 cm
de ancho x 2,2 cm
de espesor para la tapa.

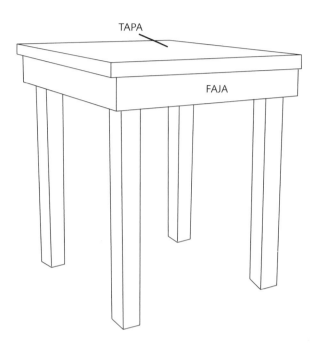

TAPA

FAJA

Procedimiento

1 Lijar cada una de las piezas. Colocar las patas a las dos fajas más cortas, con la ayuda de una agujereadora y con tornillos autoperforantes.

2 Parar las dos fajas recién trabajadas, tal como lo muestra la siguiente fotografía, y colocar las dos fajas más largas. Para ello, marcar 15 cm y, con la agujereadora, colocar los tornillos autoperforantes.

3 Por último, colocar la tapa con tornillos autoperforantes en forma de chanfle.

> Para realizar las puntas redondeadas de la tapa de la mesa, lijar con la ayuda de un taco de madera, envuelto en una lija.

BANCO de NIÑO

MATERIALES

4 placas
de 28 cm de largo
x 4,5 cm de ancho
x 4,5 cm de espesor.

2 fajas
de 27 cm de largo
x 7 cm de ancho
x 2,2 cm de espesor.

2 fajas
de 22,5 cm de largo
x 7 cm de ancho
x 2,2 cm de espesor.

1 tapa
de 30 cm de largo
x 30 cm de ancho
x 2,2 cm de espesor.

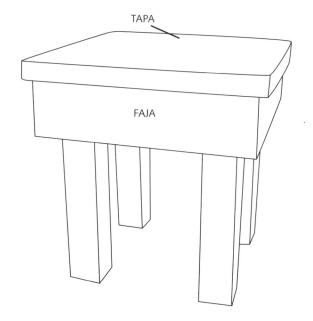

Procedimiento

1 Lijar cada una de las piezas. Colocar las patas a las dos fajas más cortas, con la ayuda de una agujereadora y con tornillos autoperforantes.

2 Parar las dos fajas recién trabajadas, tal como lo muestra la siguiente fotografía, y colocar las dos fajas más largas. Para ello, marcar 15 cm y, con la agujereadora, colocar los tornillos autoperforantes.

3 Por último, colocar la tapa con tornillos autoperforantes en forma de chanfle.

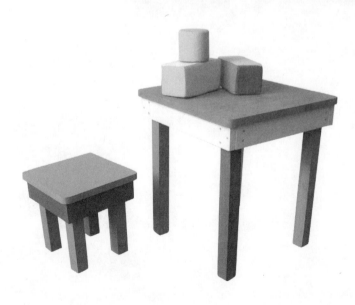

MESAS Y SILLAS

SUMARIO

MESA de ARRIME con ESTANTE

Elegancia y calidez se conjugan en esta mesa de arrime con estante. Barnizada en nogal oscuro nos permite engalanar un rincón de la cocina o de un comedor estilo campestre. Una lámpara de luz cálida o unos sencillos y rústicos accesorios, como los que se incluyen en esta fotografía, realzan la belleza natural de este trabajo en madera.

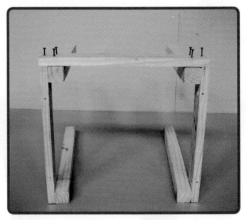

Colocar las patas a las dos fajas más cortas. Poner las dos fajas más largas.

Colocar la tapa con tornillos autoperforantes chanfleados.

Medir el interior entre las patas, a lo largo y a lo ancho. De cada uno de los costados, marcar 6 cm y cortar.

Colocar el anclaje del estante con los tornillos.

Realizar las perforaciones con la agujereadora (paralelos al estante). En ellos, colocar los tornillos en los que se ajustará el estante a las patas.

MESA CUADRADA y BANCO de NIÑO

Los muebles destinados a los más pequeños de la casa deben ser diseñados en función de sus necesidades de tamaño y espacio. Una simpática y colorida mesa con su inseparable compañero, el banquito, se convertirán en el lugar ideal para leer, jugar y escribir las primeras letras.

Los pasos para realizar la mesa y el banco de niño son los mismos. Por ello, las fotografías que se presentan a continuación son válidas para los dos trabajos en madera.

Colocar las patas a las dos fajas más cortas.

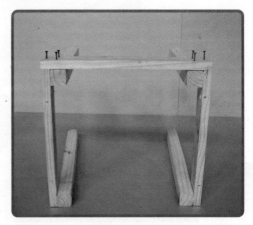

Poner las dos fajas más largas.
Marcar 15 cm y colocar los tornillos autoperforantes, chanfleados.

Disponer la tapa.

SILLA de CAMPO

De diseño simple y cálido, esta silla de campo nos invita
a prolongar la charla en compañía de nuestros seres queridos.
El esmalte blanco brinda un especial contraste con los tonos
anaranjado y tierra del mantel y del almohadón.

Marcar la profundidad de los cortes con una de las fajas y realizar los mismos. Girar la pata para que las marcas queden boca abajo y hacer los cortes.

Trabajar del lado de atrás para que no se vea el respaldo. Realizar las marcas y los cortes.

Trabajar del lado de atrás para que no se vea el respaldo. Marcar 6 cm para el primer tornillo y, de esta marca, otros 4 cm. Colocar la pata restante y el respaldo.

Dar vuelta la silla y colocar las dos fajas de 40 cm de largo. Realizar las perforaciones, marcando 2 cm a cada costado. Colocar los tornillos. Ensamblar cada una de las fajas.

Medir 1,5 cm desde el inicio de la tapa y hacer la primera marca y, desde allí, otros 5 cm. Dejar 31 cm libres y marcar 5 cm. Realizar los cortes.

Perforar el centro de la faja y colocar el tornillo. Repetir esta operación con las dos fajas del costado, marcando siempre en el centro.

MESA RATONA
de CAMPO

Funcionalidad y distinción son los elementos distintivos
de esta mesa ratona. Aliada inseparable para disfrutar
de un delicioso té, se la suele elegir para colocar
en el centro del living, rodeada de sillones.

Colocar las patas a las dos fajas más cortas.

Poner las dos fajas más largas. Marcar 15 cm y colocar los tornillos autoperforantes, chanfleados.

Disponer la tapa con tornillos autoperforantes chanfleados.

SILLA en CRUZ

Fortaleza y durabilidad se vinculan en esta silla de sólidas y largas patas, ideal para acompañar una mesa vestida. Su funcionalidad permite utilizarla en diferentes espacios de la casa y, para hacerla más confortable, el asiento puede presentarse con un almohadón.

Marcar la profundidad de los cortes con una de las fajas y realizar los mismos. Girar la pata para que las marcas queden boca abajo y hacer los cortes.

Trabajar del lado de atrás para que no se vea el respaldo. Marcar 6 cm para el primer tornillo y, de esta marca, otros 4 cm. Colocar la pata restante y el respaldo.

Dar vuelta la silla y colocar las dos fajas de 40 cm de largo. Realizar las perforaciones, marcando 2 cm en cada costado. Colocar los tornillos y realizar los cortes.

Realizar una perforación en el centro de la faja y colocar el tornillo. Repetir esta operación con las dos fajas del costado, marcando siempre en el centro.

Tomar las dos tablitas de 40 cm de largo x 3,5 cm de ancho x 1,1 cm de espesor. Colocar por detrás del respaldo una de las maderas y marcar la línea de corte. Repetir la operación con la tablita restante.

Antes de cortar, poner una tablita encima de la otra y, en el centro de las mismas, colocar un clavito. Realizar los cortes correspondientes, abrir las tablitas y calzar en el respaldo de la silla.

MESA y BANCO FRAILERO

Ideal para disfrutar de un almuerzo en buena compañía
en el interior del hogar o en una galería cercana
al jardín de la casa. Este banco y su mesa forman un dúo
insustituible a la hora del encuentro y es la solución ideal
para ambientes reducidos.

Lijar las puntas de los zapatos hasta que queden redondas.

Marcar el centro del zapato y dividirlo en tres agujeros a una distancia equidistante entre ellos. Perforar el centro.

Buscar el centro de la pata. Marcar 3 cm de profundidad a lo largo. Indicar el centro a cada uno de los lados y marcar 10 cm a cada lado. Agujerear los centros con clavos de 20 mm sin cabeza.

Con una tira de madera terciada, marcar el recorrido de la curva con un lápiz. Realizar el corte según la curva marcada anteriormente.

Repetir los pasos anteriores con el zapato restante.

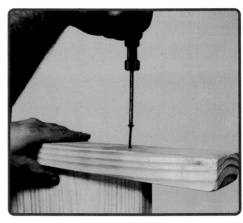

Colocar el zapato en la pata frailera. Marcar los dos extremos en los que se van a colocar los tornillos autoperforantes. Repetir la operación con la otra pata.

Apoyar la pata de la mesa frailera (con su correspondiente zapato ya atornillado) y, desde el zapato al centro, marcar 38 cm y, de la primera marca, otros 6 cm. Hacer los agujeros y colocar los tornillos con los que se va a unir la pata al travesaño. Repetir la operación del otro lado.

Tomar la madera destinada a la tapa de la mesa frailera y montarla. Con la perforadora, colocar los tornillos.

BANCO FRAILERO

Lijar las puntas de los zapatos hasta que queden redondas.

Medir el centro del zapato y dividirlo en tres agujeros a una distancia equidistante entre ellos. Realizar una perforación en el centro del zapato.

Medir el largo de la pata y buscar el centro. Marcar 3 cm de profundidad a lo largo. A la vez, marcar el centro a cada uno de los lados. Agujerear los centros con clavos de 20 mm sin cabeza.

Colocar una tira de madera terciada y marcar el recorrido de la curva con un lápiz.

Retirar la tira de madera terciada y realizar el corte según la curva marcada anteriormente.

Con el pedazo de madera que se ha cortado, marcar el lado restante del zapato. Repetir la operación con el zapato restante.

Colocar el zapato en la pata frailera y marcar los dos extremos en los que colocaremos los tornillos autoperforantes. Repetir la operación con la otra pata.

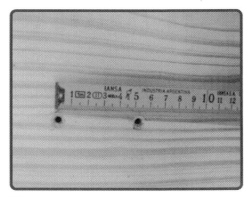

Apoyar la pata del banco (con su correspondiente zapato ya atornillado) y, desde el zapato al centro, marcar 38 cm y, de la primera marca, otros 5,5 cm.

Realizar los dos agujeros y colocar los tornillos con los que uniremos la pata al travesaño. Repetir la operación del otro lado.

Tomar la madera destinada a la tapa del banco y montarla. Con la perforadora, colocar los tornillos.

SILLA de CAMPO

2 tirantes
de 46 cm de largo
x 4,5 cm de ancho
x 4,5 cm de espesor para
las patas delanteras.

2 tirantes
de 95 cm de largo
x 4,5 cm de ancho
x 4,5 cm de espesor
para las patas traseras.

6 placas
de 40 cm de largo
x 4,5 cm de ancho
x 2,2 cm de espesor
para las fajas.

2 placas
de 37,5 cm de largo
x 4,5 cm de ancho
x 2,2 cm de espesor
para las fajas de los
costados de arriba.

1 placa
de 43 cm de largo
x 43 cm de ancho
x 2,2 cm de espesor
para la tapa.

1 placa
de 44 cm de largo
x 16 cm de ancho
x 3,3 cm de espesor
para el respaldo.

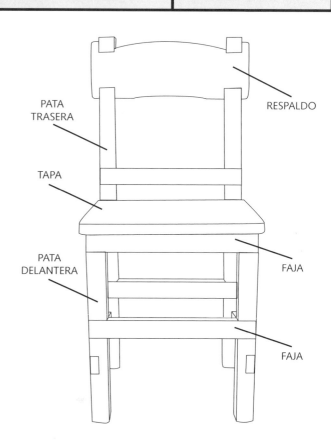

RESPALDO

PATA
TRASERA

TAPA

PATA
DELANTERA

FAJA

FAJA

Procedimiento

● PATA TRASERA

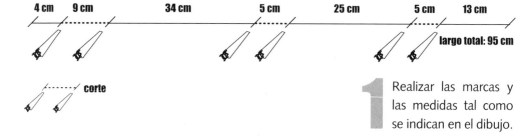

4 cm 9 cm   34 cm   5 cm   25 cm   5 cm   13 cm

largo total: 95 cm

······✓ corte

1 Realizar las marcas y las medidas tal como se indican en el dibujo.

2 Para saber hasta qué profundidad realizar los cortes, utilizar una de las fajas como guía. Montar la faja sobre la pata trasera y marcar una línea con lápiz sobre esta última, tal como muestra la fotografía. La línea indica el límite del corte.

3 La regla y la escuadra nos van a servir para marcar de manera correcta.

4 Con la caladora, realizar los cortes y, con la ayuda del formón y una maza, retirar el pedacito de madera.

5 Pasar nuevamente la caladora por el corte para eliminar los restos de madera a fin de lograr un trabajo bien prolijo.

Si lo desea, puede realizar una cruz en el lugar de corte para que el mismo sea más preciso.

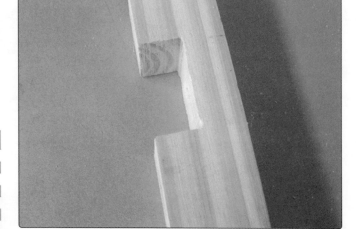

● RESPALDO

6 Girar la pata de tal manera que las marcas hechas anteriormente queden boca abajo. El siguiente dibujo servirá para realizar las marcas y los cortes correspondientes al respaldo.

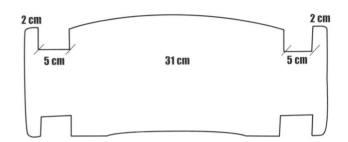

7 Realizar los cortes con la caladora y, con la ayuda del formón y una maza, retirar el pedacito de madera.

8 Volver a pasar la caladora por el corte para eliminar los restos de madera y lograr un trabajo bien prolijo. Repetir la operación del otro lado.

En esta fotografía se pueden observar los cortes realizados tanto en el respaldo como en la pata trasera.

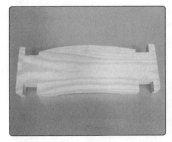

9 Con el taco de madera, lijar el respaldo.

● Armado del respaldo y del frente

10 Trabajar del lado de atrás para que no se vea el respaldo. Marcar 6 cm para el primer tornillo y, de esta marca, otros 4 cm. Colocar la pata restante y el respaldo.

11 Dar vuelta la silla y colocar las dos fajas de 40 cm de largo. Para ello, realizar las perforaciones, marcando 2 cm a cada uno de los costados. Colocar los tornillos.

12 Ensamblar cada una de las fajas. Las más cortas son las de arriba y las del costado, ya que deben encastrarse.

● PERFORACIÓN Y COLOCACIÓN DE LA TAPA

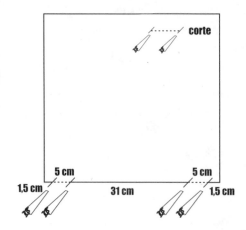

13 Medir 1,5 cm desde el inicio de la tapa y hacer la primera marca y, desde allí, otros 5 cm. Dejar 31 cm libres y marcar 5 cm. El siguiente dibujo servirá de guía para realizar las marcas y los cortes.

14 Realizar los cortes con la caladora. De ser necesario, volver a pasar la misma para emprolijar el corte.

15 Parar la silla y realizar una perforación en el centro de la faja. A continuación, colocar el tornillo. Repetir esta operación con las dos fajas del costado, marcando siempre en el centro.

MESA RATONA de CAMPO

4 placas
de 38 cm de largo
x 7,2 cm de ancho
x 7,2 cm de espesor
para las patas.

2 fajas
de 42,5 cm de largo
x 9,5 cm de ancho
x 2,2 cm de espesor.

2 fajas
de 67 cm de largo
x 9,5 cm de ancho
x 2,2 cm de espesor.

1 tapa
de 90 cm de largo
x 70 cm de ancho
x 2,2 cm de espesor.

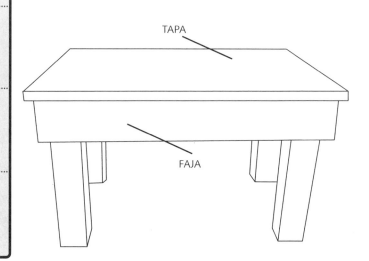

TAPA

FAJA

Procedimiento

1 Lijar cada una de las piezas. Colocar las patas a las dos fajas más cortas, con la ayuda de una agujereadora y con tornillos autoperforantes.

2 Parar las dos fajas recién trabajadas, tal como lo muestra la siguiente fotografía, y colocar las dos fajas más largas. Para ello, marcar 15 cm y, con la agujereadora, colocar los tornillos autoperforantes.

3 Por último, colocar la tapa con tornillos autoperforantes en forma de chanfle.

SILLA en CRUZ

2 tirantes
de 46 cm de largo
x 4,5 cm de ancho
x 4,5 cm de espesor
para las patas delanteras.

2 tirantes
de 95 cm de largo
x 4,5 cm de ancho
x 4,5 cm de espesor
para las patas traseras.

6 placas
de 40 cm de largo
x 4,5 cm de ancho
x 2,2 cm de espesor
para las fajas.

2 placas
de 37,5 cm de largo
x 4,5 cm de ancho
x 2,2 cm de espesor
para las fajas de los
costados de arriba.

1 placa
de 43 cm de largo
x 43 cm de ancho
x 2,2 cm de espesor
para la tapa.

2 placas
de 40 cm de largo
x 3,5 cm de ancho
x 1,1 cm de espesor
para las cruz de la silla.

1 placa
de 44 cm de largo
x 9,5 cm de ancho
x 3,3 cm de espesor
para el respaldo.

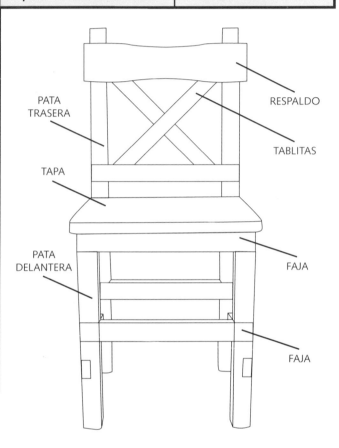

PATA TRASERA

RESPALDO

TABLITAS

TAPA

PATA DELANTERA

FAJA

FAJA

Procedimiento

● PATA TRASERA

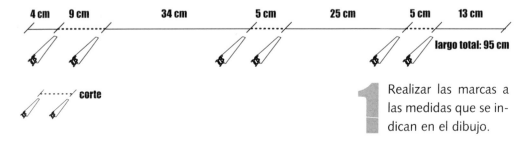

4 cm   9 cm   34 cm   5 cm   25 cm   5 cm   13 cm

largo total: 95 cm

corte

1 Realizar las marcas a las medidas que se indican en el dibujo.

2 Para saber hasta qué profundidad realizar los cortes, utilizar una de las fajas como guía. Montar la faja sobre la pata trasera y marcar una línea con lápiz sobre esta última, tal como muestra la fotografía. La línea indica el límite del corte.

3 La regla y la escuadra nos van a servir para marcar de manera correcta.

4 Con la caladora, realizar los cortes y, con la ayuda de formón y una maza, retirar el pedacito de madera.

5 Pasar nuevamente la caladora por el corte para eliminar los restos de madera y lograr un trabajo bien prolijo.

Si lo desea, puede realizar una cruz en el lugar de corte para que el mismo sea más preciso.

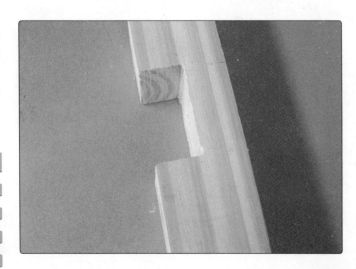

● RESPALDO

6 Girar la pata de tal manera que las marcas hechas anteriormente queden boca abajo. El siguiente dibujo servirá para realizar las marcas y los cortes correspondientes al respaldo.

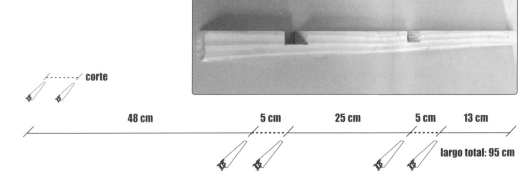

corte

48 cm   5 cm   25 cm   5 cm   13 cm

largo total: 95 cm

7 Con la caladora, realizar los cortes y, con la ayuda de un formón y una maza, retirar el pedacito de madera.

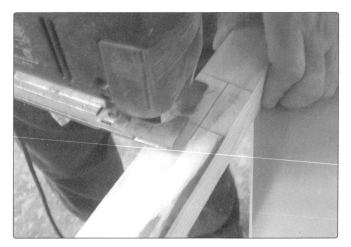

8 Volver a pasar la caladora por el corte para eliminar los restos de madera y lograr un trabajo bien prolijo. Repetir la operación del otro lado.

En esta fotografía se pueden observar los cortes realizados tanto en el respaldo como en la pata trasera.

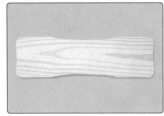 

9 Con el taco de madera, lijar el respaldo.

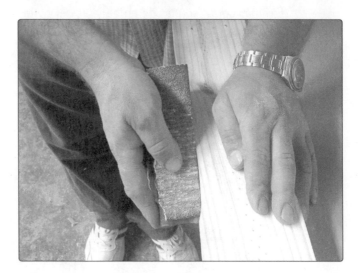

● ARMADO DEL RESPALDO Y DEL FRENTE

10 Trabajar del lado de atrás para que no se vea el respaldo. Marcar 6 cm para el primer tornillo y, de esta marca, otros 4 cm. Colocar la pata restante y el respaldo.

11 Dar vuelta la silla y colocar las dos fajas de 40 cm de largo. Para ello, realizar las perforaciones, marcando 2 cm a cada uno de los costados. Colocar los tornillos.

12 Continuar ensamblando cada una de las fajas. Las más cortas son las de arriba y las del costado, ya que deben encastrarse.

● PERFORACIÓN Y COLOCACIÓN DE LA TAPA

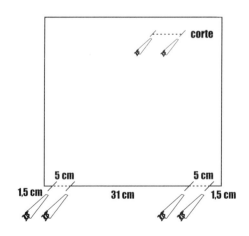

13 Medir 1,5 cm desde el inicio de la tapa y hacer la primera marca y, desde allí, otros 5 cm. Dejar 31 cm libres y marcar 5 cm. El siguiente dibujo servirá de guía para realizar las marcas y los cortes.

14 Con la caladora, realizar los cortes. Si es necesario, volver a pasar la misma para emprolijar el corte.

15 Parar la silla y realizar una perforación en el centro de la faja. A continuación, colocar el tornillo. Repetir esta operación con las dos fajas del costado, marcando siempre en el centro.

● CRUCES DEL RESPALDO

16 Tomar las dos tablitas de 40 cm de largo x 3,5 cm de ancho x 1,1 cm de espesor. Colocar por detrás del respaldo una de las maderas y marcar la línea de corte. Repetir la operación con la tablita restante.

17 Antes de cortar, poner una tablita encima de la otra y, en el centro de las mismas, colocar un clavito. Realizar los cortes correspondientes, abrir las tablitas y calzar en el respaldo de la silla.

18 Clavar las tablitas.

MESA FRAILERA

2 tirantes
de 75 cm de largo
x 40 cm de ancho
x 2,2 cm de espesor
para las patas
de los costados.

4 placas
de 63 cm de largo
x 7 cm de ancho
x 3,3 cm de espesor
para los dos zapatos de
arriba y los dos de abajo.

1 placa
de 1 m de largo
x 0,70 cm de ancho
x 2,2 cm de espesor
para la tapa.

1 placa
de 80 cm de largo
x 9 cm de ancho
x 3,3 cm de espesor
para el larguero.

Tornillos
de 38 mm de largo
x 4,5 mm para la tapa.
Para el resto de la mesa,
de 63 mm x 4,5 mm.

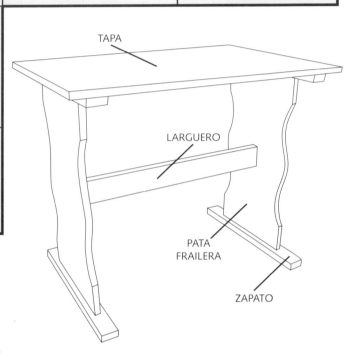

TAPA

LARGUERO

PATA
FRAILERA

ZAPATO

Procedimiento

● ZAPATOS DE ARRIBA Y DE ABAJO

1 Lijar las puntas de los zapatos con taco de madera envuelto en una lija gruesa (de 100 u 80) hasta que las mismas queden redondas.

2 Medir con una cinta métrica el centro del zapato y dividirlo en tres agujeros a una distancia equidistante entre ellos. Con el taladro, realizar una perforación en el centro del zapato.

● PATA FRAILERA

3 Medir el largo de la pata y buscar el centro. Marcar 3 cm de profundidad a lo largo. A la vez, marcar el centro a cada uno de los lados tal como lo indica el siguiente dibujo y marcar 10 cm a cada lado.

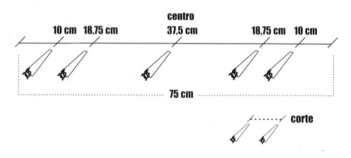

centro
10 cm 18,75 cm 37,5 cm 18,75 cm 10 cm

75 cm

corte

4 Agujerear con clavos de 20 mm sin cabeza, los centros.

5 Colocar una tira de madera terciada de 3 mm de espesor x 3 cm de ancho. Con ella, marcar el recorrido de la curva con un lápiz.

6 Retirar la tira de madera terciada y, con la caladora, realizar el corte según la curva marcada anteriormente.

Sujetar siempre la pieza con la mano que se va a cortar para que la misma no se mueva.

7 Con el pedazo de madera que se ha cortado, marcar el lado restante del zapato.
Repetir la operación con el zapato restante.

8 Una vez realizados los cortes correspondientes, lijar la superficie.

9 Colocar el zapato en la pata frailera y marcar los dos extremos en los que se van a colocar los tornillos autoperforantes de 2,5 pulgadas. Repetir la operación con la otra pata.

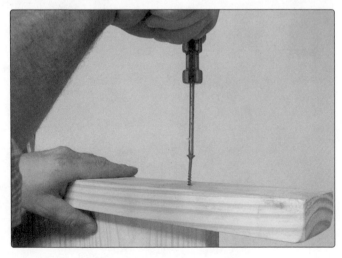

10 Apoyar la pata de la mesa frailera (con su correspondiente zapato ya atornillado) y, desde el zapato al centro, marcar 38 cm y, de la primera marca, otros 6 cm.

11 Con el taladro, realizar los dos agujeros y colocar los tornillos con los que se va a unir la pata al travesaño. Repetir la operación del otro lado.

12 Tomar la madera destinada a la tapa de la mesa frailera y montarla. Con la perforadora, colocar los tornillos.

BANCO FRAILERO

MATERIALES

2 placas de 41 cm de largo x 28,5 cm de ancho x 2,2 cm de espesor para las patas.	1 placa de 85 cm de largo x 9 cm de ancho x 3,3 cm de espesor para el larguero.	Tornillos de 38 mm de largo x 4,5 mm para la tapa. Para el resto de la mesa, de 63 mm x 4,5 mm.
4 placas de 30 cm de largo x 7 cm de ancho x 3,3 cm de espesor para los zapatos.	1 placa de 30 cm de largo x 1 m de ancho x 2,2 cm de espesor para la tapa.	

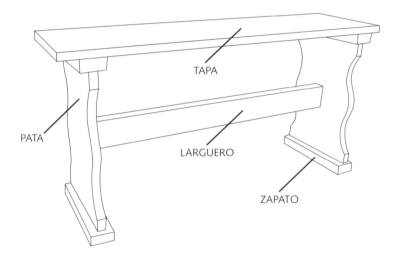

TAPA

PATA

LARGUERO

ZAPATO

Procedimiento

● ZAPATOS DE ARRIBA Y DE ABAJO

1 Lijar las puntas de los zapatos con taco de madera envuelto en una lija gruesa (de 100 u 80) hasta que las mismas queden redondas.

2 Medir con una cinta métrica el centro del zapato y dividirlo en tres agujeros a una distancia equidistante entre ellos. Con el taladro, realizar una perforación en el centro del zapato.

● PATA FRAILERA

3 Medir el largo de la pata y buscar el centro. Marcar 3 cm de profundidad a lo largo. A la vez, marcar el centro a cada uno de los lados tal como lo indica el siguiente dibujo.

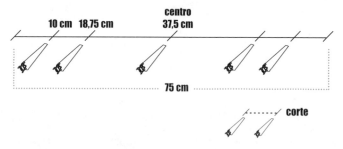

4 Agujerear con clavos de 20 mm sin cabeza, los centros.

5 Colocar una tira de madera terciada de 3 mm de espesor x 3 cm de ancho. Con ella, marcar el recorrido de la curva con un lápiz.

6 Retirar la tira de madera terciada y, con la caladora, realizar el corte según la curva marcada anteriormente.

7 Con el pedazo de madera que se ha cortado, marcar el lado restante del zapato. Repetir la operación con el zapato restante.

8 Una vez realizados los cortes correspondientes, lijar la superficie.

9 Colocar el zapato en la pata frailera y marcar los dos extremos en los que se van a colocar los tornillos autoperforantes de 2,5 pulgadas. Repetir la operación con la otra pata.

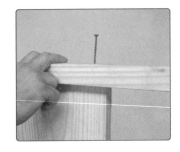

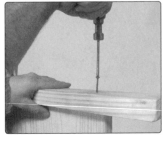

10 Apoyar la pata del banco frailero (con su correspondiente zapato ya atornillado) y, desde el zapato al centro, marcar 38 cm y, de la primera marca, otros 6 cm.

11 Con el taladro, realizar los dos agujeros y colocar los tornillos con los que se va a unir la pata al travesaño. Repetir la operación del otro lado.

12 Tomar la madera destinada a la tapa del banco frailero y montarla. Con la perforadora, colocar los tornillos.